2009年 Kiss No.18 表紙

— story of herself —

おひとり様物語 2

谷川史子

tanikawa fumiko

おひとり様物語 2

contents

第9話

— story of herself —

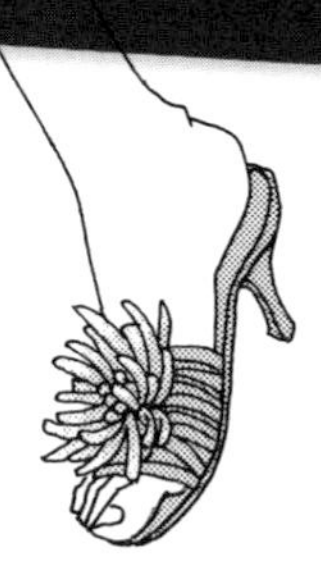

日比野真澄（ひびのますみ）
女子大生 ハタチです

中学以来の
女子校育ちで
今は大学の寮に住んでます

女の園で
楽しく
過ごすうちに

気付くと20年間
まるっと
おひとり様

なぜなら彼らは
ほぼ100％
よっぱらいで
私は よっぱらいが
キライだからなのです
ともだちの気持ちは
嬉しいし
この場に来ておいて
よっぱらいを
あれこれ言うのは
間違ってるので
アハハハ
へーぇ
おとなしく
飲んだり
食べたり
しているのですが
私自身は
かなり強いらしく
冷静に
観察することになって
しまうのです
……
よっぱらいは
大体うるさいですね
人の肩や背中を
バシバシ叩いたりとかもして
痛いです

悩み相談を
始めたと思ったら
いつの間にか
エッチなトークに
すりかわって
いる人とか
気付くと
40分以上同じ話
してる人とか
しかも『オレの
モテ話』だったり
すると弱ります
『そこ
盛り上がりが
足りない!!』と
怒られた時も
びっくりしたなあ
そのうち
かわいいA子ちゃんや
B子ちゃんを巡って
通路の奥で
どつきあいを
始める男子も
出てきたりと
もう大変
なので
適当なところで
そっと抜けると
さて かえろ
おなか いっぱーい
日比野さん
ハァー…
あの……
もう
帰っちゃうの?
はあ
寮の門限
8時なんで
(ウン)
……誰?
言い忘れて
ましたが
私は
よっぱらった男子が
みんな同じ顔に
見えてしまうのです
素直
うわ
早いんだね
門限
さすが
お嬢様
大学
…

あの 俺
S大の山田っていいます
また
話したいんで
携番か
メアドを
交換…
しません
しません
だって
次に会っても
顔 ぜったい
わかんないもの
ごめんなさい
さよなら
じゃ じゃ
じゃあ
せめて駅まで
ふらふら
ピッ
いえ(どう見ても
あなたのほうが
送られるべきっ
ぽいので)
いいです
じゃあ 週末
学校に
会いに行くから!
やあの
どうも
ハハハ
じゃ!
週末
会いにって……
よっぱらいの
言うことだもんなー
ははは
ムシ
ムシ
あ
ピリリリ
ピリリリ
10:28
2008/ 7/ 9 10:27
今どこ?
今月分は
いらないって
ことかしら?
(笑)
母
こ……
またみんなに
怒られる
なぁ
いいけど
さ

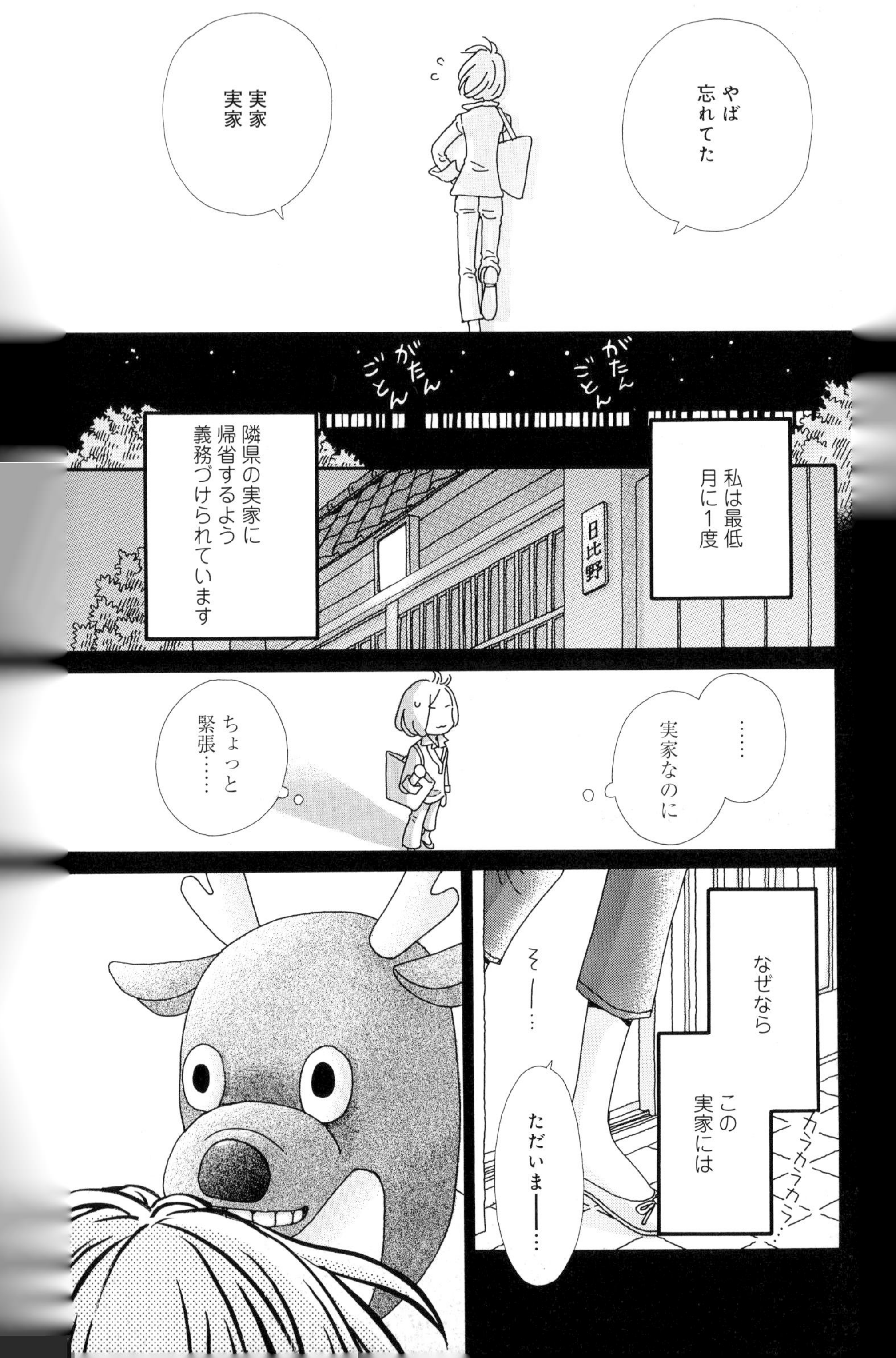
やば
忘れてた
実家
実家
がたん
ごとん
がたん
ごとん
私は最低
月に1度
日比野
隣県の実家に
帰省するよう
義務づけられています
……
実家なのに
ちょっと
緊張……
なぜなら
この
実家には
カラカラカラ…
そー…
ただいまー…

おかえり
真澄〜〜〜♡
もーほんっと
やめてよ
お父さん
超 よっぱらいの
父が
いるのです
だって真澄が
久しぶりに
帰ってくるのかと思うと
うれしくてさあ
だからってなんで
トナカイなのよ
ワケ
わかんない
キモすぎ
おかあ
さーーーん
あら
おかえり
じゃらん!!
おかえりじゃ
ないよ もう
お父さん
なんとかしてよ
なんとかしてって
言われてもねー
昔っからだからねー
じゃあ
仕送りは
振り込みに
してよぅ
今時
手渡しなんて
うざいよ
もーーー

うざい？
あ
やべ
おやおや
空耳かしら
あなたへのお金は
お父さんお母さんが
懸命に働いた
血と汗と涙の結晶
それを直接
受け取るのが
うざい？
まあ
いいじゃないか
お母さん
あ
ごめんなさい
ごめんなさい
さあ
みんなで
テーブルを
囲もうじゃないか
まずは
ビールと
いこうじゃないか
もっとしょっちゅう
帰ってきて
くれたって
いいじゃないか
ああ……

ああ……
おとうさん……
あなたはほんとに…
真澄！
昨日はごめんな！
今夜こそ一緒に晩ご飯食べような！
父32歳
ほんと──!?
やったー約束だよ──
ますみ5歳
ははは指切りだ!!
げーんまーん
やだやだおとうさんといっしょにたべるんだもん
…
いいからおあがり…
母31歳
あ〜〜〜ただいま♪〜〜〜
お父さん またよっぱらっちったよ〜〜〜♡
ますみ〜〜〜
だめなおとうさんでごめんにゃ〜〜〜
たなかさんがどうしてものもうってきかなくってさ〜〜〜
おとうさんはだめだってゆったんだけどたなかさんがさ〜〜〜
いやあおひげいやあ
じょりじょりじょりじょり
あーおさけくさいぃ!!
……

あれが
毎日だった
もんなあ……
オハヨー
あら
オハヨ
お泊まり
しました…
酒呑みの言うことは
決して信じては
ならないと学んだ
子供時代……
真澄……
真に
澄む……
きれいな
名前だろー
うんっ
澄みきった心の
人を信じられる女性に
育ってほしい
お父さんは
そう願って
名付けたんだよ……
よく
言いますよ
くかー…
あらやだ
お父さんまた
お腹出して
真澄！
タオルケット
掛けてあげて
えー―？
バサア
うっ
これっ
もっと
そっと!!
もー
あんたもうちょっと
お父さんに
優しくしなさい？
子供の頃のこと
悪かったなあって
思ってるのよ
その分 今
仲良くしたがってるんでしょ
……
……

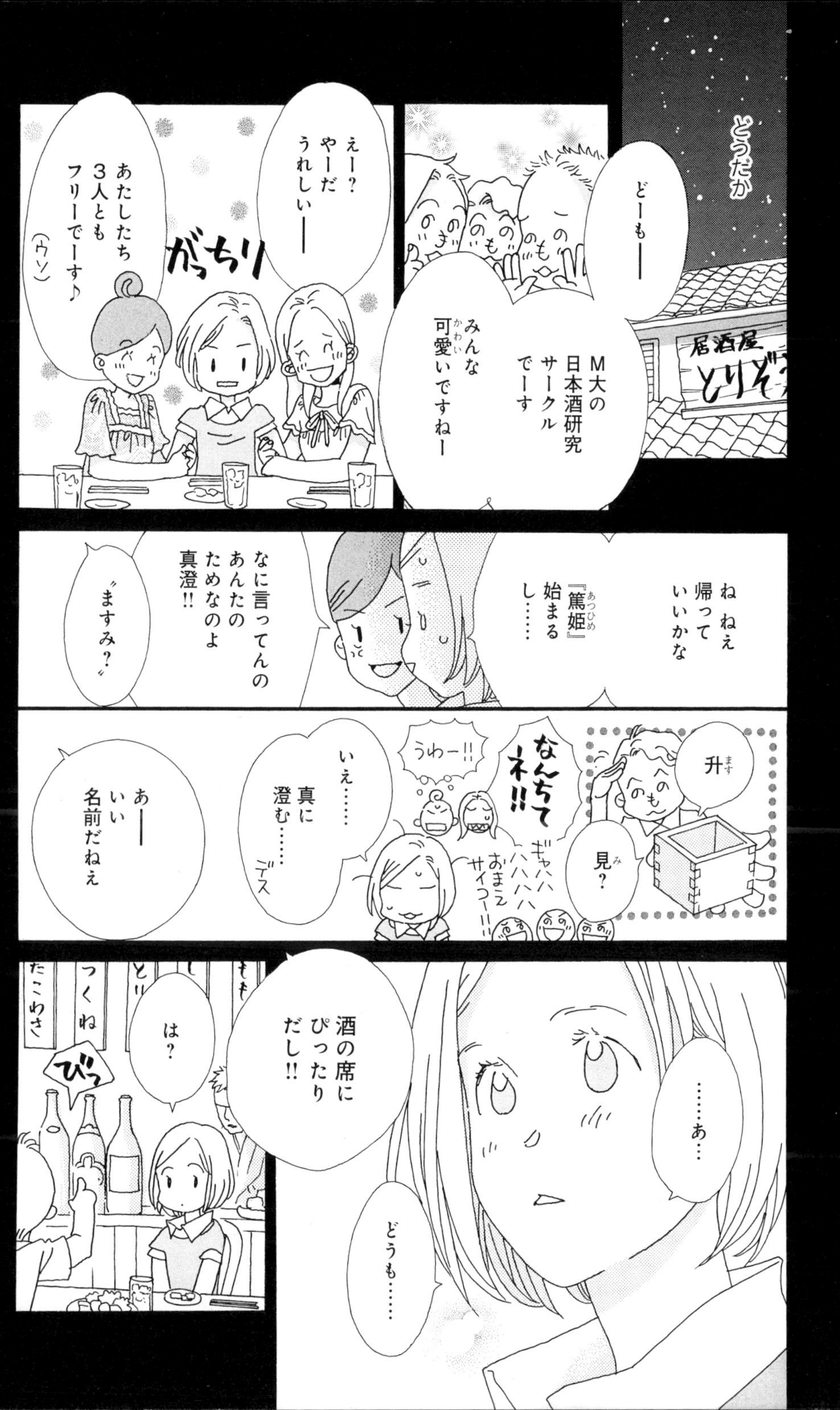
どうだか
居酒屋 とりぞう
どーもーー
M大の日本酒研究サークルでーす
みんな可愛(かわい)いですねー
えー？やーだうれしいーー
がっちり
あたしたち3人ともフリーでーす♪
(ウソ)
ねねえ帰っていいかな
『篤姫(あつひめ)』始まるし……
なに言ってんのあんたのためなのよ真澄!!
〝ますみ？〟
升(ます)
見(み)？
なんちてネ!!
うわー!!
ギャハハハハハハ
おまえサイコー!!
いえ……真に澄む……デス
あーーいい名前だねえ
たこわさ
つくね
とり
もも
は？
びっ
酒の席にぴったりだし!!
……あ…
どうも……

純米吟醸
真澄
銀撰
真澄
マスミ
手造り
ちょっと
おとう
さーーーん!!
日比野
はー
はー
おう
真澄!!
どしたの
なにごと!?
あたし……
あたし……

あたしって
お酒だった
わけ!?
あっ…
あっ
って
なによー
マジなのかい!!
サイテー
信じらんない
なんで女の子に
お酒の名前なんて
つけるのよ
だいたい
お父さんて
適当すぎるよ
いっつも
お酒にのまれて
約束やぶって……
あたしの名前も
よっぱらって
決めたんじゃないの!?
あたしはお酒なんて
大キライなんだから
こんな
名前
だいっきらい

酒の名前で
悪いか―――!!
真澄は……
真澄は……
お酒が好きな
お父さんの……
いちばん好きな
お酒なんだ……
いちばん
大好きなものの
名前を
いちばん
大切な娘に
付けて
なにが悪い!!

なにそれ
くかー
……さっきの話 マジで？
マジで マジで
あんたが 生まれた時
あたし以上に 嬉しそうに してたわよ
ますみー…
おっきく なったら
いっしょに のもうなー……
その夜から

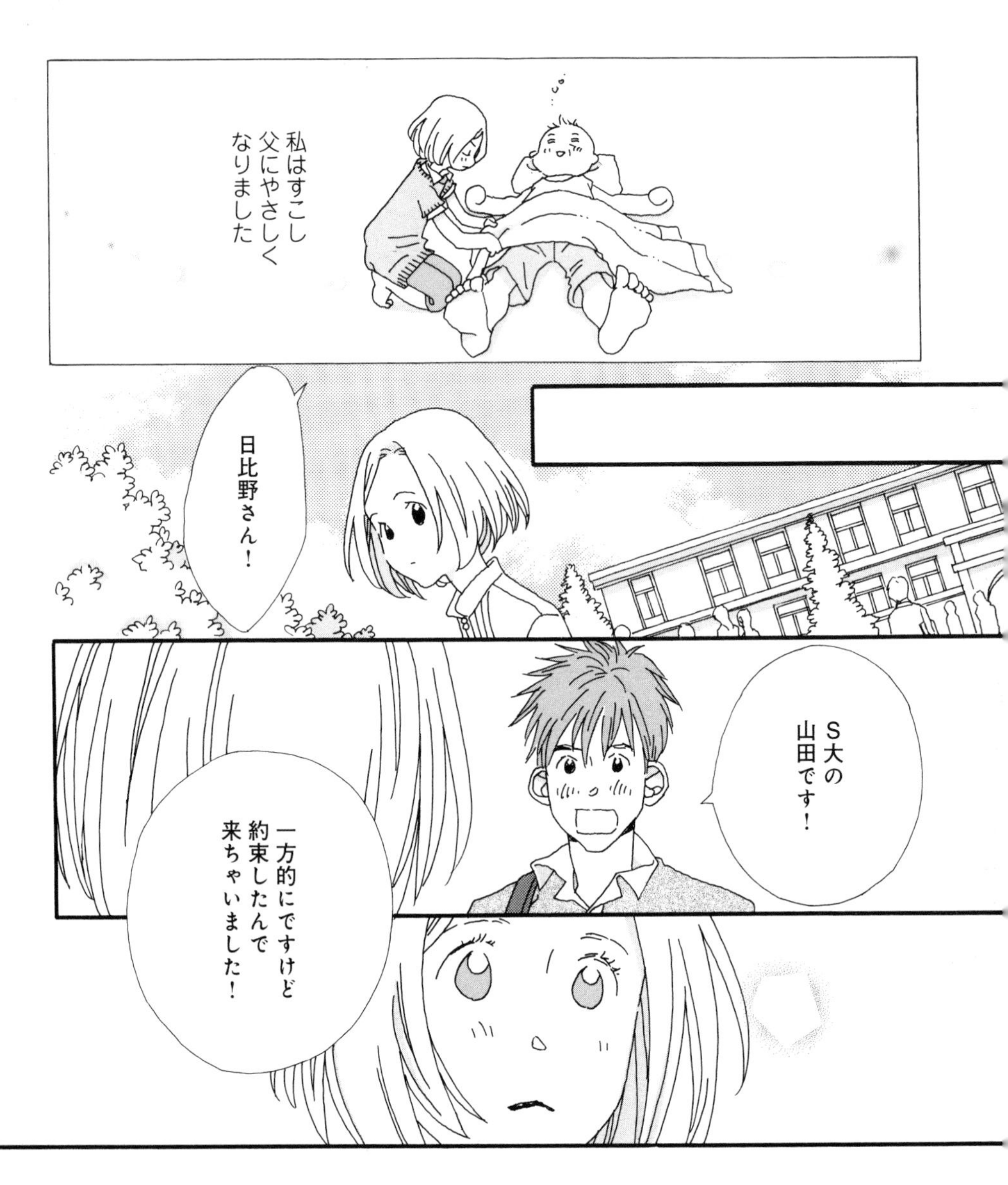

男の子の顔も
ひさしぶりにちゃんと見えました

おひとり様物語

—— story of herself ——

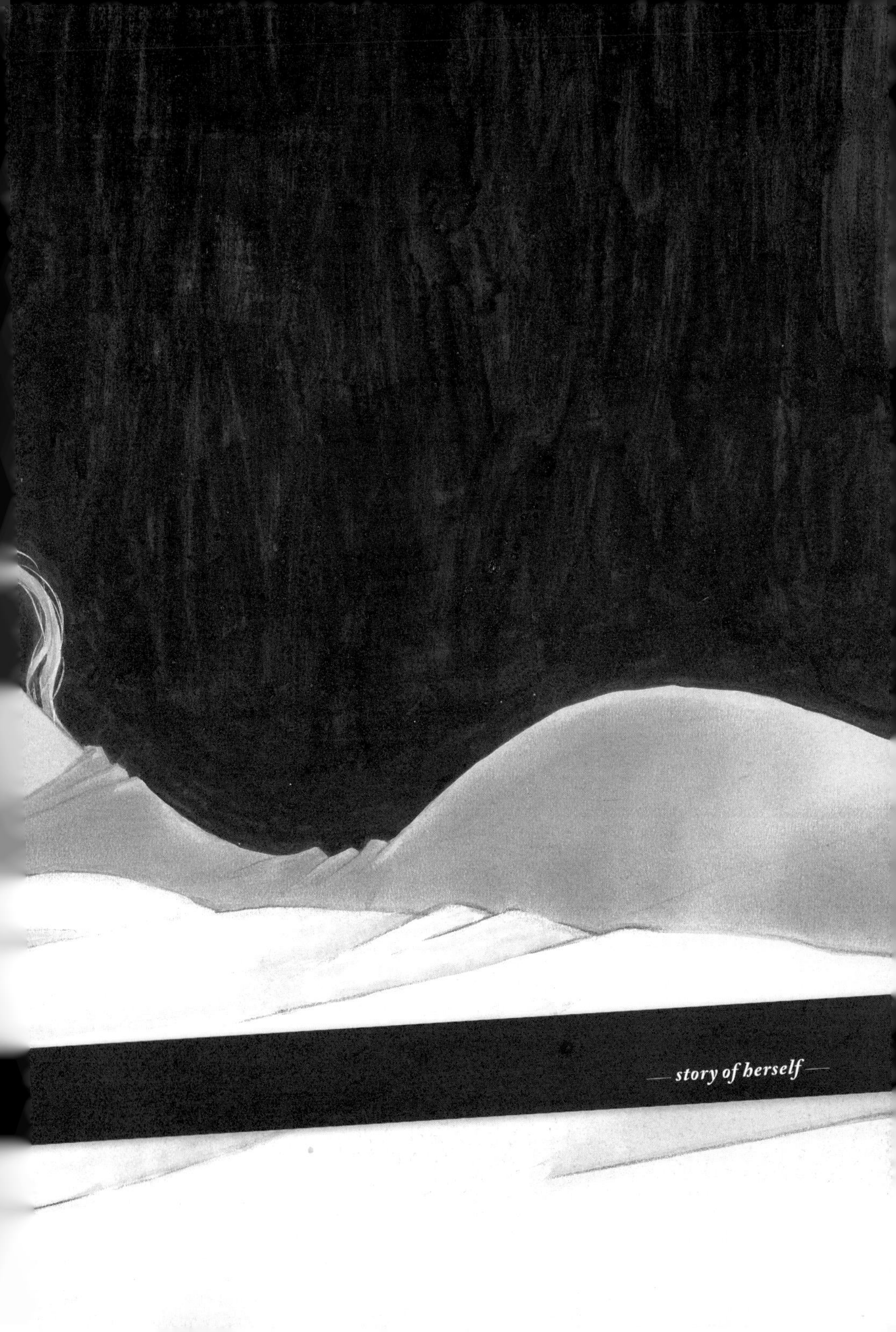
— story of herself —

Data
name : Miyako Motojima
age : 31
job : Editor
第10話

1年前 離婚をしたんです

そんな私は今日も元気におしごと三昧
担当作家の桃井織歌先生とデザイン事務所に来ています
わ〜〜〜〜〜〜
都倉さん ほんとにありがとうございました！
すっごい素敵な装丁で感激です〜〜
301 office TOKURA
こちらこそ すごく楽しい仕事でした
わー ほんとですかー？
この人は都倉デザイン代表の都倉春一さん(30)
なかなか売れっ子の若手デザイナーです
それじゃお先に失礼しまーす
本嶋さん また！
あ お疲れさまでした！
ご連絡します
パタン
都倉さん
ハイ？
また エリ折れてますよ

ぴっ
ほら！
ったく そんなんだから いつまでも ひとりなのよ!!
そっち こそ……
うるさいなー あたしは いいの！
ん!?
えー
なにその ファンシーな バンソーコーは
30男が キモすぎ！
あ
拡大図☆
別に 俺の趣味じゃ な……
ガシャ
パリーン
きゃー
ごめんなさい また やっちゃっ……
え!? モモイ先生 もう帰っちゃったん ですか!?
お茶まだ お出しして なかったのに—
あの ドジッ子 新人ちゃんの か……
うん
…
楽しい会社だね 社長!!
おかげさまで な!!
ぷ
…

カチャ！
じゃ
おつかれさま
また！
実は
今の人が
元ダンナ
なんです
出会いは
8年前
駆け出しの編集と
下っ端デザイナー
第一印象は
正直 パッと
しなかったけど
なぜいつも
エリが
折れて…？
意外なほど
美しい作品と
楽しい会話に
いつしか
会えるのを
心待ちに
するようになった

1年後に
つきあい始めて
3年目に結婚
4年の月日を
過ごして
都倉都！
山本山
みたいだ
よー
キャハハハ

別々に生きる答えを出した
わー それ モモイさんのカバー？
いいじゃん！
でしょー☆
パ
ン
!!
あたしばっかり努力してるじゃん!!
俺だっていっぱいいっぱいなんだよ!!
ともかくふたりともが忙しくて
やさしくなれなくて
きっとどの家にもあるいさかいの
〝ごめんね〟のタイミングもわからなくなって

どんどん
どんどん
ふたりの間に
なにかが積もって
なんか
もう
疲れたねえ…
豆腐
凝り
じょ
造り
それが　1年前の話
復縁とか
あるんですか
本嶋さんと
都倉さんですよ
え
ないない
ないですよ
なあに言ってんですか
モモイさん
え〜〜〜
でもおふたり
今でもすっごい
仲いいじゃないですか
尊敬とか
いたわりとか
そういうの
感じるしー
離婚してるのに
そういうの
フシギだなって
……あ
あ〜〜〜
やー　そりゃ
この立ち位置
だからこそ
ですよぅ
夫婦じゃ
うまくいかない
組み合わせって
いうか

でも どこかもう他人になりきれないっていうか……
だから今みたいな距離で
特別に思っちゃうんです
ずっとこんなふうにいられたらなって
おひとり様に戻れてよかったなんて思うんです
なーんて
離婚したのにヘンですよねえ？
ヘンですよーーう
え……
アリな人はアリなんでしょうけど
あたしはちょっとわっかんないなあ～～～
別れたフーフはただの他人っすよ
きついこと言ってすみません
でも いつまでもこのままなんてありえないんじゃないですか？
がば!!
つか都倉さんに恋人ができたら祝福できるんすか!?
……あーもーわかんないや
同棲とかケッコンってバクチれすよね……
ごん
いて
……彼氏と同棲するんですか？
あ あれはカレシとかじゃないでふ

他人……
別れれば
他人
かあ……
301
office
TOKURA
ピ
ン
……
ポーン…
……
ピンポーン…
?
あれ?
時間
間違えた
かな?
こんにちは―
剛胆社の
本嶋
ですー
ガチャ!
ああ
都倉さん
ねえ!
さっき救急車で
運ばれてったよ!

……
どうしよう
どうしよう
どうしよう
『いつまでもこのままなんてありえないんじゃないですか？』
あのっ
都倉
事故で運ばれた都倉春一はどこでしょう!?
怪我は!?
ひどいんですか!?
奥様ですか？
あ
いえ……
ではご家族の方？
……
いいえ
でも あのなんていうか私は
たいへん申し訳ないんですが

規則で
お身内でない方には
お話しできないんです

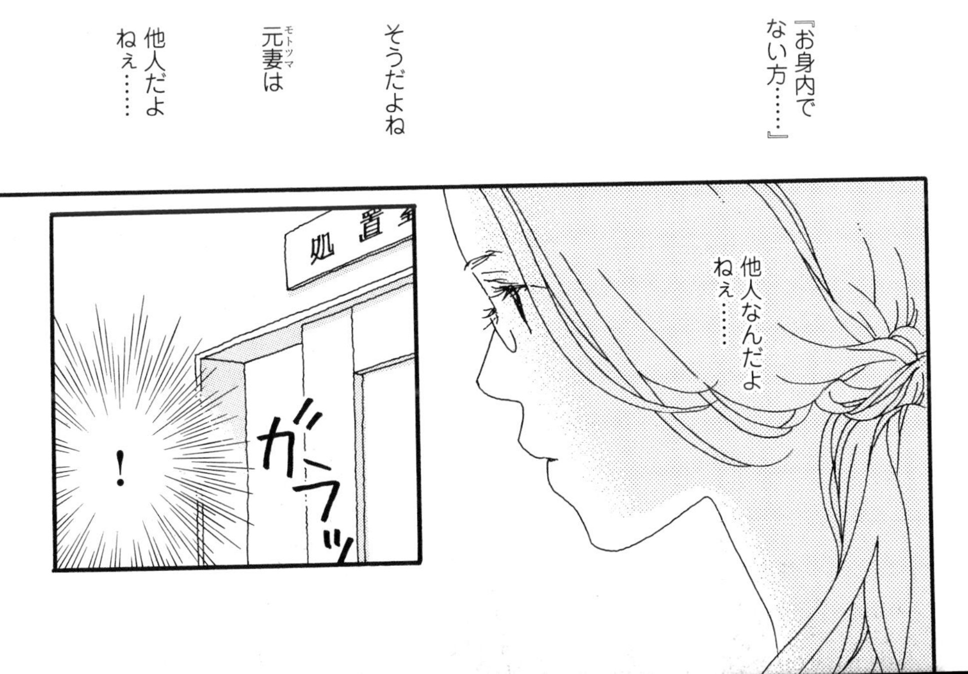
『お身内でない方……』
そうだよね
元妻は
他人だよねえ……
他人なんだよねえ……
処置
ガラッ
!

パン
あれ――？
どしたあ？
あああ そっか
ゴメン!!
打ち合わせ
入ってたもんな
いや
事務所の前で
ひっかけられたん
だけど
かすり傷だけで
もう全然
異常
ナシ……
社長！

どーん
わ!?
社長
社長
う
わーんわーん
うわーん
ほら
ちょっとほら
大丈夫
だから
ポンポン
たはは
本嶋さん
ごめんな
迷惑かけて
え
そんな
全然……
医院
通用口

俺たち
このまま
事務所に
戻るから
また連絡します
うん
じゃあ
じゃ
あ……
またエリ
折れてる……
ふ

並んで
ちいさくなる
うしろ姿を

私は帰り道
くりかえし
思い出していた

あの子では
ないのかも
しれない

けれど

彼のエリを
直せるのは
もう
私ではないのだ

1年も前の
あの日から

私は
ちゃんと
ひとりになろう
望んだのは
自分なのだ
あの日私が
選んだのは
こういうこと
だったのだ
ひとりに
ならなければ
私は いちど
ちゃんとひとりぼっちに
ならなければ
そうすることが
今
どうしても必要なのだと
思った

Data
name : Miyuki Emori
age : 29
job : Flower shop Staff
第11話
— story of herself —

江守みゆき 29歳
おひとり様です
フラワーショップに
勤めています
小さい頃から
お花や植物が
大好き
それらに水をやる
早朝の時間が
大好き
そのあと さっと部屋を掃除して
ミルクたっぷりの
カフェオレと
簡単な食事を
ベランダでゆっくり
とるのが定番
少しずつ明るくなる
空を眺めながら
よし 洗濯だとか
今日の仕入れと
段取りは とか
あの映画は今日の帰りにとか
一日の流れを
考えるのが大好き

お店はデパートの
1Fで
結構繁盛(けっこうはんじょう)しています
いらっしゃいませー
花束のアレンジを
お客様と
相談して
出来(でき)るだけ
イメージに近いものを
作るのも楽しいし
喜んでくれる顔は
ほんとうにうれしい
お昼は
お弁当です
江守さん
いつも
えらいねー
ゆうべの残りとか
ばっかりですよ
カンタン
手抜きです
いやいや
エライよ
ひとりなのに
さー
でもあれだよね
女性はやっぱり
誰かのために
作るほうが
はりあいあるよネ!
江守さんも
そろそろ
ねえ!!
あーー
はりあい
いいです
ねーー
あははは
早めに上がれたら
あちこちのフロアを
ひやかしたあと
ひとつ
ください
おひとつ
ですね
B1の食品街で
ちょっとした
スイーツを選んで
帰宅する
今日は
シュークリーム…♡

その日 自分の
食べたいものと
足りないものを考えて
丁寧(ていねい)に料理を作る

そういうのも大好き

お風呂(ふろ)に
ゆっくり入って

肌と髪の
手入れをする

アイロンをかけたり
明日の準備を
すませたあと

少しだけ本を読んで
ことんと眠る

昼間よく
動いたから
ぐっすり眠れる

そうしてまた
早朝に
ベランダに出て
深呼吸

私

このくらしが
ほんとうにすきだ

家を思い通りに
居心地よく整えるのも

規則正しく
過ごすのも

したいことするべきことを
自分で決めて重ねてゆくのは
心底楽しいことに思える

店長みたいに
言ってくる人もいるけど
親切心なのは
わかるし
今 自分が楽しいから
あまり腹も立たない

おつかれさまですー
気をつけてねー

恋人はもう
ずっといないけど
正直淋しくない

ともだちも
頑張って会わなくていい
マイペース人間ばかりで
心地いい

愛すべき
私の
おひとり様ライフ

おー満月!

大切な

だ
誰!?

あ
ビク

兄ちゃん!?
おう
東京も寒いなー
早く入れろ
ふん
結構キレイにしてるな
感心感心
なんなのよ急に……
ジロジロ見ないでよ
出張で来るって言ってたろ?
聞いてないよそんなの!!
あ そーか?
でなによ
なにしに来たの
あたし明日も仕事なんだけど
なにしにって
あこれ
母ちゃんとカミさんから
こっちは一郎と一子から
あ
金萬
きりたんぽ
おっネイガ
あ俺
こっちの部屋でいいや
は?
3日間
ここに泊めてな
はあ?

10年前に結婚して
今はふたりの子供の父親

私たちの母と
秋田の実家で同居している

兄は
15年前に亡くなった
父のかわりに
自分がしっかりしなければと
思ったのだろう
すっかり仕切り屋に
なってしまった

私は

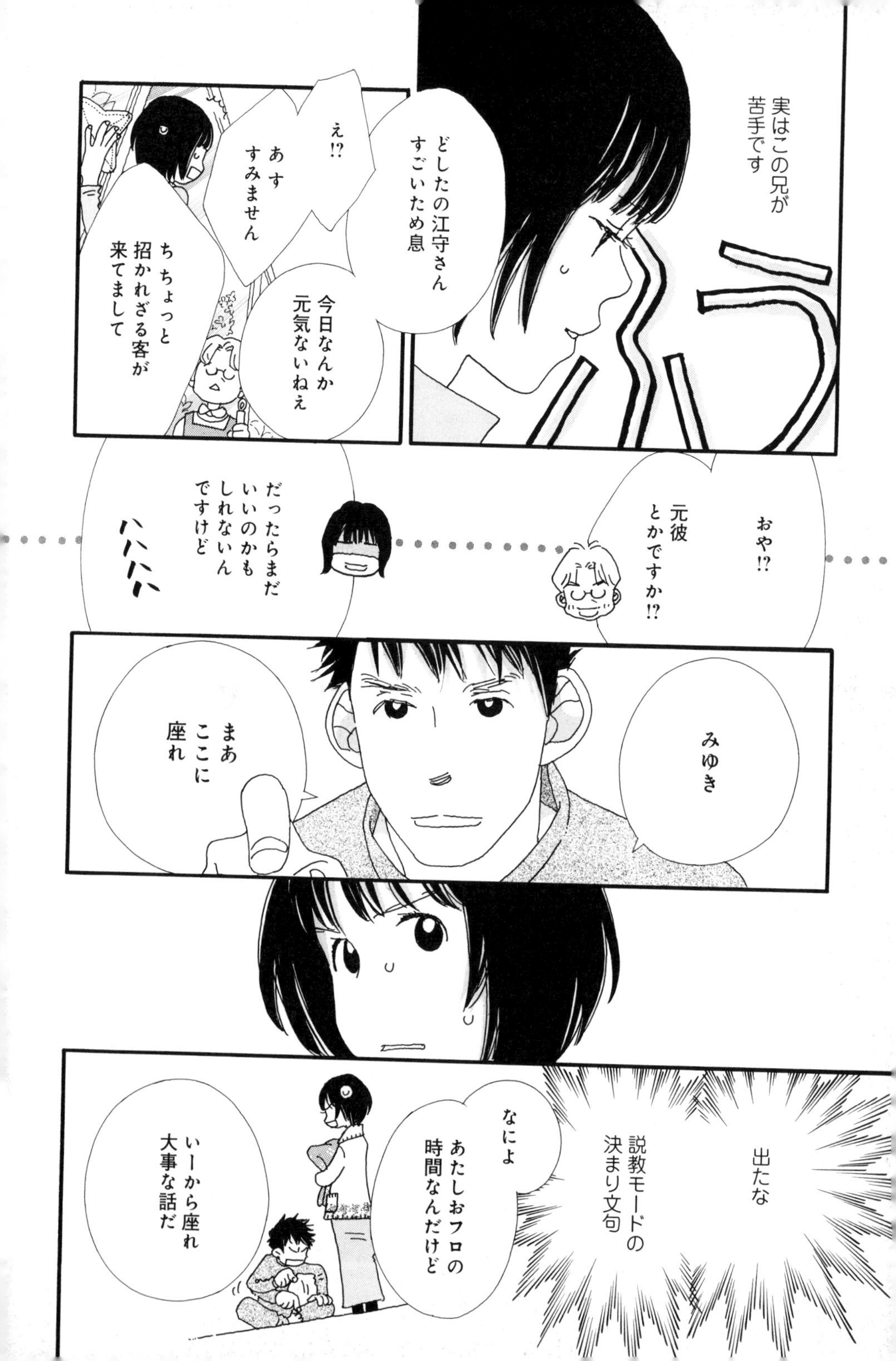
実はこの兄が苦手です
ふう
どしたの江守さん すごいため息
え!?
あす すみません
今日なんか元気ないねえ
ちちょっと招かれざる客が来てまして
おや!? 元彼とかですか!?
だったらまだいいのかもしれないんですけど
ハハハ
みゆき
まあ ここに座れ
出たな 説教モードの決まり文句
なによ あたしおフロの時間なんだけど
いーから座れ 大事な話だ

おまえ
いくつになった
え……
来月……
さんじゅう…
ですけど
なにやってんだ
みゆき!!
え?
え!?
女がな
30になんなんと
する女がだ
なんで結婚
しないんだ!!
な
なんでって
今べつに
急いでする
理由ないもん
大ありだ!!
30になる女が
ひとりでいるなんて
いけないことに
決まってるじゃないか!!
ああ
内気でへんくつで
悪ガキにいじめられて
ばっかだったおまえが
いつまでもひとりで
生きてける程
世の中甘くないぞ?
夫婦支えあって!
家庭営んで!
子供育てて!
それが女の
しあわせだろう!?
いつの話
してんの!!
あのね兄ちゃん
今時ね
みゆき

母ちゃん心配しったど
ぐっ
そのカードは卑怯すぎるでしょ――!!
俺はな みゆき
おまえのためを思って言ってるんだ
出たな おまえのため攻撃
母ちゃんはおまえに気を遣って なんも言わないだろうが
どんだけ胸を痛めてるか 傍にいる兄ちゃんにはよくわかるんだ
そういうの わかってやれよ
……
大人になれよ
は――……
おっ
悩ましいためいきだねぇ 江守さん
恋わずらいかい?
あははは
どうしてだろう
私は毎日を心穏やかに充ち足りて過ごしているのに
別に一生結婚しないなんて言ってないのに
恋人や夫がいないと許してもらえないの?
だめですか?

今の私は
そんなに
だめですか?
ぱちん!
よっしゃ!
とにかく目の前の
労働だ!!
いらっしゃい
ませー
私
ずっと
そうしてきた
私はたしかに
ぶきっちょで
内気で
そんな自分が
コンプレックス
だった
でも
できることを
少しずつ
少しずつ
増やしてきた
一生つきあってく
自分をまず
愛したかったんだ

も〰〰
急にウチで食べるなんて言わないでよ〰〰
うん
言ってくれたら買い物してきたのに〰〰
作りおきとかそういうのばっかだからね？
うん
ビールとか勝手に飲んでてね
ザー…
トントントントン
トントントントン
トトトトトト
ジャー…
ガラ
うーさむー
妹菜園柚子☆
ちゅーー
？

いただきます
いただきます
どーぞめしあがれ
ぱく
なにふーんて!!
……
ふーん
ったく…
今日おまえの働いてるとこ見たぞ
むー
えっ!? なに!?
なに黙って見てんの!?
キモイ
声掛けてよ
おまえ
ちゃんとしゃべってんのな
は?

ちゃんと
やってたんだな
ちゃんと大人に
なってたんだな
えらいな
え……
え――
なに言ってんの
キモすぎ…
あとは
ケッコン
するだけだ
な!!
よけいな
お世話
です!!
……
チチ
チチチ
チュン
翌朝
兄ちゃんは
『たまには母ちゃんに
顔見せに来い』と
手をあげて
秋田へと帰って行った
へばな!

あっ
やだも——
散らかして〜〜〜
まったく
なんでも
布団のまわりに
持ってきて〜〜〜
巣ですか!?
何かの虫ですか？
なにくつろぎ
まくってん
ですかね!?
ん——
やっぱ
いいですね
お帰り
私の
お城!!
……
でも
なんだろ
ちょっと
がらんとして
見えるな
ゎー
ゎー…
おれの
妹
いじめる
な——
うゎー…

また3日くらい泊めてあげなくもないかな

Data
name : Harumi Nomura
age : 28
job : Cook

第12話

—story of herself—

野村春己 28歳
料理人です
無国籍料理店の厨房で
働いています
春さん
おつかれー
時間だから
上がって
はい
うー
ひゅう
さむ！
……
雪
今年は
降らないなー…
多分
もうすぐ
おひとり様です
悟
おつかれ
迎えに
来た
多分 というのは
この彼氏とは
もう長くないなと
感じるため

なんていうんですか
ごはんは？
あー
残業中にもらった肉マンでうやむやに
ぷっ
うやむやって
なんかそういうのってわかっちゃうじゃないですか
それじゃ足りないいんじゃん？
店来ればよかったのに
ん――
なんか食べてく？
……
あのさ
俺……
ピリリリリ
ピリリリリ
あごめん
あうん
ぱくん
ごめん
あたしちょっと行かなきゃ
え？
バカ女が
またバカなことになってるみたいだから

ザザーーーッ
えっ…
春！
あ
私には ひとつ 持論があります
バカな人は
ぜひ ひとりで 生きていて いただきたいと いうことです
わーーーん
春ちゃ〜〜〜ん
ひどいの ひどいのー
カレ あんまり なのー
ぎゅむ！
ぺ
あっ

春ちゃんも
ひどーい
うっさい
来ただけ
ありがたいと
思え
ずかずか
つか
なによ この部屋は
毎度毎度〜〜〜
だって
じかん
ないんだ
もん〜〜〜
最近
すっごい
オファー
増えてんだ
もん〜〜〜
珠笑は
中学からのくされ縁で
バイオリニスト
珠笑いわく
〝センスがいい〟らしく
音楽番組で
ちょこちょこと
いろんなバンドの
サポートに
呼ばれているのを見かける
結構なことだ
ほれ
ありがとう……
で？
今度はなんで
ふられたの？
ちがうよ
ふられて
ないよ
ただ連絡
ないだけ
なの
は？

ほら
カレ 今
会社立ち上げるの
忙しいじゃない
知らねーよ
落ち着いたら
れんらくするって
言われたけど
ずっと
メールもでんわも
ないと
淋しくって…
もう
貯金もないし
あたしには
待つことしか
できなくて…
ふーー
ごくん
今
なんつった
え?
まさか
あんた
また お金
貸したの?
えっ…
ばか――
だって――
まあ
この子はずっと
こんな調子なのだ
しあわせになれそうもない
男ばかりを
好きになる
ゆうくん
すっごく
困ってたんだもん
ぜったい
かえすって
ありがとうって
愛してるって
泣いたもん
ばかばか
ばーーか
つか
こないだの
妻子もちの
時なんて
実際返って
きたこと
あんの!?
言ってみろ
あんた それ
何人目よ!?

珠笑は
なんていうか
素直(すなお)というか
おひとよしで
ちょっと考えれば
わかりそうな話も
うのみにしてしまう
ひらたく言うと
バカなのだ
ぐー…
あ
アタマいたい…
それでも
相手を決して
憎まないから
すごい
……なに
夕飯
食べて
ないわけ？
どんな男も
彼女に言わせると
優しくて
かわいそうな人になる
間違ってるだろう
その
ポジティブシンキングは
うん
なんか作るのおっくうで…
何度
痛い目にあっても
こりない
はー……
あったかい…
春ちゃんのお料理
ほんとにおいしい…
ひどーい
目を離すと
死ぬんじゃ
ないかと思うと
あぶなっかしくて
しようがない
珠笑
春ちゃんの
こどもになる
断る
どんな
真夜中の
電話にも

ついかけつけてしまうのだ
お
ん？
なにその歌手好きだっけ？
んーー？
別に
ふふ
まったく
同じ奴とは思えんなー
わあんはるちゃんのばかばかー
…あのさ
ちょっといい？
ん？
ちょっと待っ…
あーもう！
ボーカルどいて邪魔！
春
もーー悟！
ちょっと待ってって！
別れよう
食材の王様
世界の包丁

春さ
俺のこと
もう
好きじゃないだろ
ていうか
最初から
そんなに好きじゃ
なかったよな
店に
通うたびに
いいなあって
思ってさ
OKして
くれた時は
ほんとに
嬉しくてさ

一緒にいれば
いつかこっち向いてくれるんじゃないかって思ってた
でも
やっぱだめだわ
好きだけど
好きな分だけ
こたえてもらえないのはつらいよ……
バターーー

え——
春ちゃん!?
どしたの!?
うっそ
春ちゃんから
来てくれるなんて
うれしー
あがって
あがって
——
あれっ
お酒くさい
?
えー
どした
の
やだ——
春ちゃんに
押し倒され
ちゃった☆
どうしよ
ふたりになにかが
新しく
芽生えたら…
キャ——!!
なんちて!!
じたばた
……
春ちゃん?

春ちゃん？
どうしたの？
泣いてるの？
悟と別れた……
ごめん
利用してごめん……
なによ利用って
大丈夫だよ好きにしてよ
今日こそ日頃の恩返しを!!
全力でおなぐさめしますよ!!
ぽん…
あたしは
春ちゃんを大好きよ
一生の味方だよ
ごめん

ごめんね
悟
利用して
ごめんね
好きになりたかった
そうすれば
こんな
出口のない恋心も
とけてくんじゃ
ないかと思った
春ちゃん
一生
一緒に
生きてこう
ね？
認めて
しまおう
春ちゃんが
お店持ってー
あたしがオフの日は
お店で演奏してー
お金ためて
一緒の老人ホームで
仲良く暮らそ？
やだ
え──
あんた絶対
また男作って
泣かされるもん
バカはあらかじめ
ひとりで生きろ
──
ひどー!!
ほんと
バカ女
あ

あんたなんか
一生独りで
いればいい

雪!

春ちゃん!

改心なんかせず

雪!!

おひとよしで
男見る目も全然なくて
泣いてばかりの
そんな奴でいればいい

いつだって
私が
駆けつけて
ゆけるように
春ちゃん！
早く！
ばかは
私ですね

愛してんだ

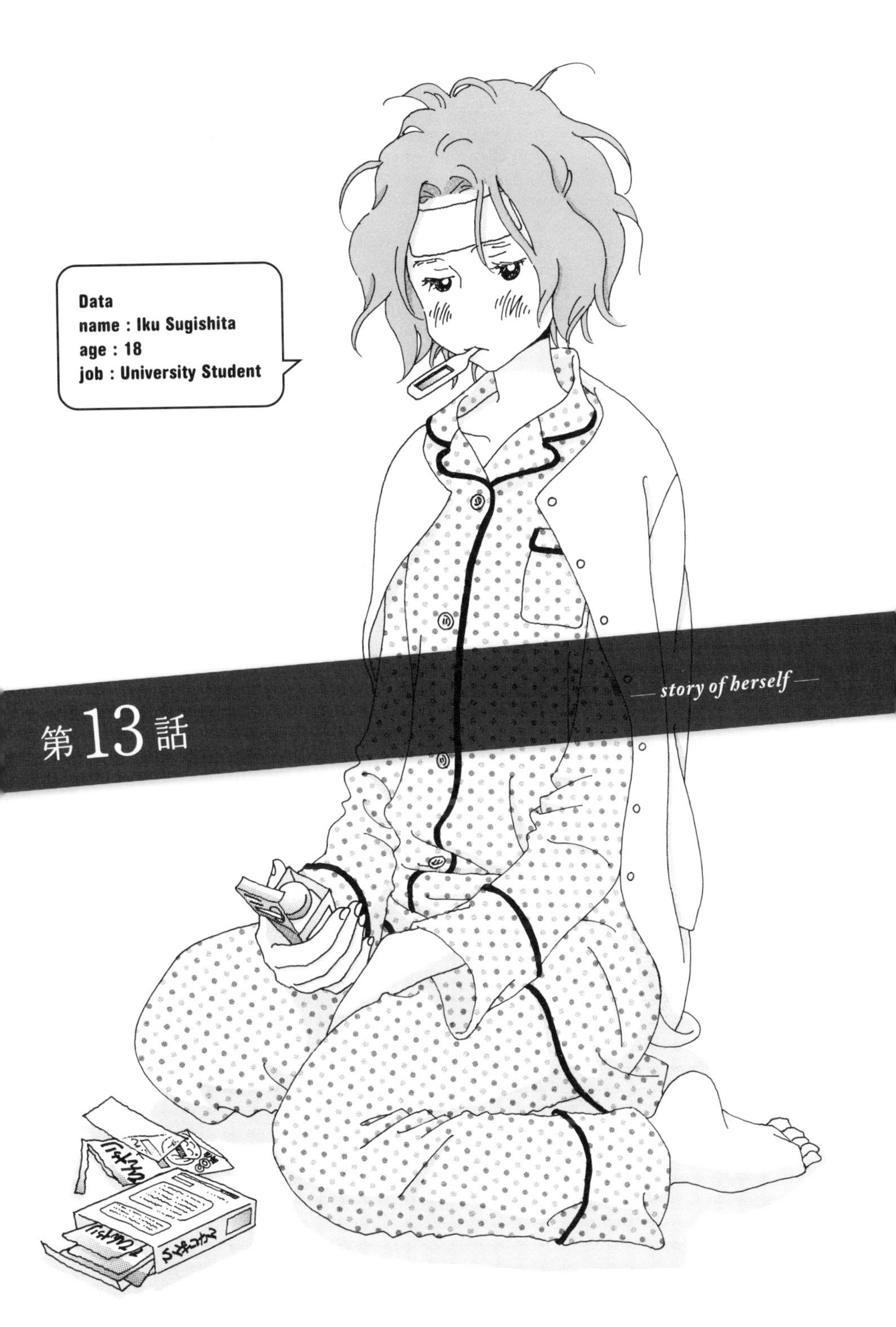
Data
name : Iku Sugishita
age : 18
job : University Student
第13話
— story of herself —

杉下 育
この春上京したての
大学1年生 カレシなし
ピカピカの
おひとり様
ルーキーです
うるさい
田舎の両親の目も
届かない
気ままなひとりぐらし
寝坊も朝帰りも
すべて自分の思うまま
サイコーです
それはそうと
さっきから
どうも身動きが
取れないんですが
困ったことに
この真夜中に
大熱なんて
出してる気配

夕方くらいから
風邪(かぜ)っぽいかなーとは
思ってたんですよね
熱
測って
みるかな…
一応
薬飲んで寝たけど
やっぱ
やられちゃってましたねー
なんていうか
ここんとこ
頑張りすぎちゃったかな
なあ
杉下
歌います!!
喉(のど)から
血が
出るまで!!
UTAHON
サークル(カラオケ研究会)の活動をね
熱心にしてたんですよ
ほら 私って 歌好きのうえに
根が真面目(まじめ)じゃないですか
つい朝まで研究したりして
あ 授業にも出てますよ?
でもほら
大学生活のダイゴ味って
なんて言うんですか 若さにまかせて
また今日もみんなで朝日を見て
帰っちゃったね(苦笑)みたいな
そういうのあるじゃないですか
まあ とにかく入学してから こっち
そんな毎日だったんです

でさすがにちょっと疲れたなあって思ってたらこれですわ
まあ熱には強いし
ゆっくり寝てよ
ピピッ
お
38度2分
出てるね
38.2℃
……
今私世界一田中眞紀子に似てる…!!
がっ
誰かに聞かせたい…!!
ちきちきちき
かすみ
かよちゃん
きみちゃん
くるみ
ほっしーかなー
よりちゃんかなー
きょんさんかなー
……
それとも
はちみ
はなち
葉山先輩
はるりん
葉山先輩……
杉下のうたにはブルースがあると思うぜ
だめ
こんな夜中に迷惑だよ
パチン…

ぼすん！
つか
田中眞紀子やって
どうしたいの　私
ただの
おもろい子になって
しまいますがな!!
なりたいのは…
……
率直に
申し上げて
カノジョです
眞紀子…
ゲホ
ゴホ
ガホ
うれしい
あまりにも
眞紀子…!!
ゴホ…
やっぱり　せっかくの
キャンパスライフだもん
恋人はほしいよ
だって今まで
カレシとか
作れなかったしさ

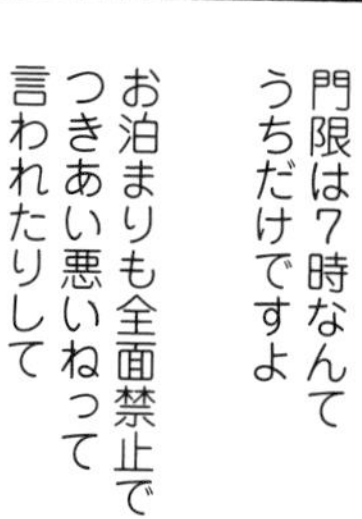
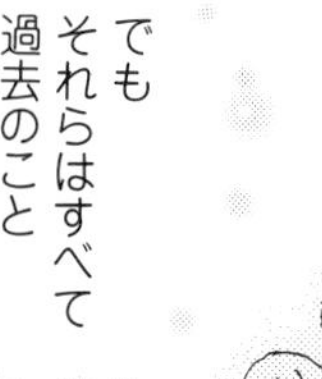
お父さんも
お母さんも
なんかそういうのに
厳しくて
スカート丈も
膝下でなきゃ
だめとか言って
しかもプリーツを
寝押ししたら
お父さん 文句ですよ
色気づいたと思って
あわてたらしいけど
その発想に
娘 びっくりです
門限は7時なんて
うちだけですよ
お泊まりも全面禁止で
つきあい悪いねって
言われたりして
でも
それらはすべて
過去のこと
勉強して
勝ち取った自由に
娘は今
夢中です

ああ
早く熱が
下がらないかな
早くみんなと
遊びたいなあ…
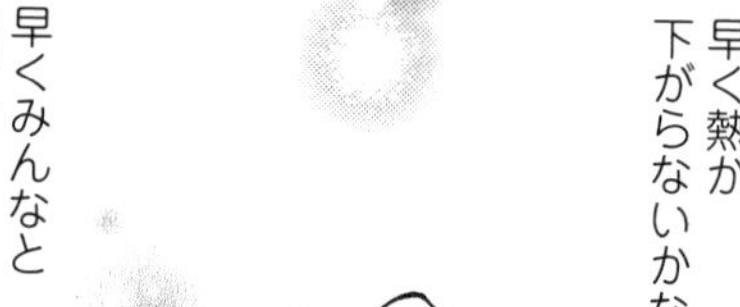

……
ふら
ふら…
トイレ…

ごばー……
お
ごぼごぼ
なんか今色っぽくない？
そっか熱で
ぼー…
目がうるんでるんだな…
えーとついでに着替えよ
汗かいちゃったし
……
着がえなーい…
洗濯したのなーい…
あ
これは？
お母さんのくれた謎のセンスのトレーナー……
とっといて良かった……
もぞもぞ
HAPPY LIFE

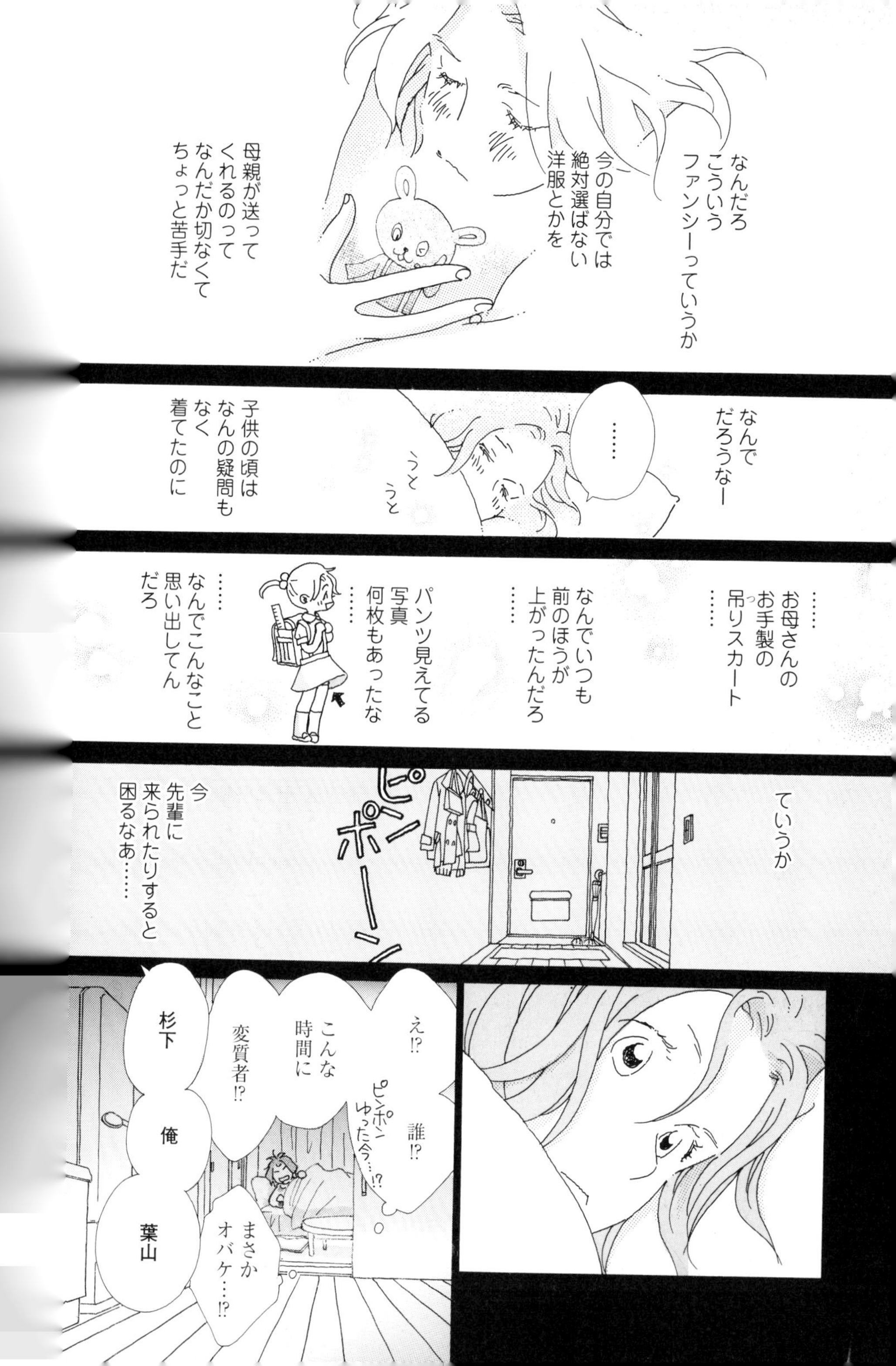
なんだろ
こういう
ファンシーっていうか
今の自分では
絶対選ばない
洋服とかを
母親が送って
くれるのって
なんだか切なくて
ちょっと苦手だ
なんでだろうなー
……
うと
うと
子供の頃は
なんの疑問も
なく
着てたのに
……お母さんの
お手製の
吊りスカート
なんでいつも
前のほうが
上がったんだろ
……
パンツ見えてる
写真
何枚もあったな
……
なんでこんなこと
思い出してん
だろ
……
ていうか
ピンポーン
今
先輩に
来られたりすると
困るなあ……
え!?
誰!?
ピンポンゆった今…!?
こんな
時間に
変質者!?
まさか
オバケ…!?
杉下
俺
葉山

先輩!?
ごめんな
こんな時間に
女の子の部屋…
風邪ひいて
大変なんだろ?
え な
なんでそれを…!?
ほら 今日
サークル
早引けしたろ?
心配になって…
開けて
もらえるかな…
あのあの
すすす
すみません
すっごい
うれしいんですけど
ちょっと今は
あ
うそ
カギ閉めて
ない
だめ
入っちゃ
だめです
先…
誰!?
きゃ…

……
ドドッ
ドッドッ
ドッドッドッドッ
…夢か…
は――…
よかった
こわかった…
やだな熱のせいだな!!
あっ眞紀子先生もそう思われますか?
ええもちろんよ!!
TV点けていいですか先生?
ええお点けなさいな!!
……
ゲホッ
どっ
アハハハ…
……のどかわいたなあ…
りんごすったのとか食べたいなあ
桃缶もいいなあ…
よく冷えたおっきいの…

でも冷蔵庫に
なにも入って
ないんだよね…
料理
へただし
毎日
忙しくて
あんまり部屋に
いないから…
ザァァ――…
……ああ
ああ
雨が
降ってきた……
ザァァァ――……
いけない
ピ
点けっ
ぱなしで
寝てた
……
…サァァァ――…
え？

ザァアー……
ああ……
ほんとに降ってるんだ……
パシャ
パシャ
パシャ
パシャ
パシャ
…シャアーー……
ちいさい頃に住んでた家は狭くて
わたし
お父さんお母さんと川の字になって寝ていた
ある夜
ぽかりと目が覚めると
まっ暗な部屋は雨音に包まれていた
なぜ急にはっきりと目が覚めたんだろう
身を固くして隣を見ても
父も母も闇に溶けて見えない
どきどきと打ち始めた心臓の音のむこうに
ふたりの寝息が聞こえた時に

やっと
ほっとした
ごろん
お母さんの
寝息に
そっと呼吸を
合わせると
もう
こわくなんか
なかった
雨音が
急に
優しくなった
ような
気がした
いつもは
うるさい
お父さんの
いびきも
うれしかった
サァアー…

翌朝

空も晴れまして

熱はすっかり
ひきました

昨夜の自分を
思い出すと
顔から
火が出るくらい
恥ずかしいわけですが
でも
いいか
ほんとのことだし
と
思える自分が
いたりします
そして
気づいたことが
ひとつ
遠く離れて
いるけれど
たまには
でんわのひとつも
しようかな
いつでも
そこにある

ちょっとだけ
うざったくて

こんなにも
心強く
なれる場所

私
これから安心して
さみしがれる

そう思うと

なんだかとても
うれしかったんです

Data
name : Hinako Komori
age : 27
job : OL
— story of herself —
第14話

小森雛子(こもりひなこ) 27歳
2度目の登場の
独身OLです
前回
花なんか買ってみちゃった
おひとり様の
私だったもので
ああ今日も
買ったんですねって
思うでしょ？
お花のある
くらしって
いいですよ
ね――って
うふふ
ざんねん
違うんです
これこそは
花嫁から
譲られし花束
受け取った人が
次の花嫁に
なれるという
ウエディング
ブ――ケ
なん
で――す

しかも
6月の花嫁
キャー!!
御利益
満点!!
いわゆるジューーーン
ブライドの生ブーケ
なのですよ!!
くるくる
くるくる
くるくる
はーー
はーー
?
それも
今月 3つ目の
ブーケなんです
いきますよー
ほら私って
控えめだから
端にそっと
立つんですけど
まるで
見えない道が
あるみたいに
…神さま
そういう
ことですか?
この人
だよって
ことですか…?
いらっしゃい
ま…
Flower Shop
コツ…

ヒナちゃん！
もうすぐ上がるから待ってて！
うん！
そーーなんです
実は私もうおひとり様じゃないんですーーー!!
生方くん なんと4つ年下の23歳
小さな劇団のホープくんです
今回の演目『大ガム家の一族』の主演…☆
明るくて 元気で頑張り屋で
なにより正直なところが大好きなんです
犯罪？
キャー☆
あ！小森さんいらっしゃいませ
生方くん上がって？あとやるから
あ 大丈夫っす
まだ5分ありますから

よっと
がっきー
このへんのやつ並べときますねー
ひょい
わー 生方くんそんなひとりで
大丈夫っすよう
工事現場で鍛えてますから
あ 江守さん足あぶないっすよ
ふふ
え
なに？
3ヵ月前
初めて会った時もすごいおっきい鉢(はち)部屋に運んでくれたなあって
"これどこ置きますー？"
男の人だなあ
かっこいいなーって…

俺は すげー かわいい人だ なあって 思った!
あれ?
今日 なんか……
美人?
もー ほんっと 正直なんだから——!!
ほら 今日 ともだちの 結婚式 だったからー
あー 言ってたね
面白かった?
面白…?
うん!
ともだち すごい キレイだった—
へー
それでねえ
えへ
これ
もらっちゃった…
パサ…
すげえ いい花!
これは結構 するぞ!?
よかった ねえ☆

ね
知ってる？
ブーケ
もらった
人ってさぁ
ごぱっ
ギュおおおう
すげー音！
今日
昼ヌキで
さ——
ラーメン
食お
ラーメン☆
ぐきゅうわおぉ
あ ごめん
なんだっけ？
ウウン
いーの
もう…
……
ん？
ちゅ——
も——
なんでこんな
かわいいかなあ！
ぎゅむ！
ヒナ！
すげー好き
どうしよ
しあわせ…
ん？

太った!!
ギャーー
この正直者ーー!!
大丈夫なのーー?
え?
その彼よ
すりあわせってできてるの?
それがさあ趣味もぴったりなのよ〜〜
部屋行ったらさだまさしのCD全部あるの!
もーー若いのにセンスいいったら☆
でなくて
ちゃんと考えてくれてんの?
?
あんたとの将来よ
とすん!
バサッ

考えてくれてるよって神さま言ってるっぽくないですかー!?
おおー
パチパチ
みてーー
今月4コめ!!
キャー!!
ねっねっ
パチパチ
……
…そういう話をしたことがなかったですがありま
ほほう
あたしはいつでも本気だけどな
つきあう人は結婚したい人だもん
あっ営業の高田さんだ
ビュ!
ダサい服で萎えちゃう本気ねえ…
ワイシャツって
会社のオリジナルT
GO 一番朋社 2008
2タックパンツ
セカンドバッグ
だだだってあれはまだつきあってなかったもん未遂だもん
……
わーーんごめんなさーーい
早いとこ言ったげたら?
バイトくんに専業主婦希望の28の女はキツいでしょ
まだ27だもん
今月いっぱい

……
……
パサ…
そりゃあ
結婚も
専業主婦も
あこがれてるけど
生方くんが好きなの
そういう
気持ち
今は
大事にしたいって
思ったの
そんな
制服の
頃のような
今は
ただ
しまっ
たああー!!
もしゃもしゃもしゃもしゃ
犬ガムの中に
あのたばこと
同じ毒物が
仕込まれて
いたんだ
——
その気持ち
だけで
雛子さんと
生方くんて
ケッコン前提
なんですか
——!?
砂ぎも
ハントロ
レバー
もも
つくね

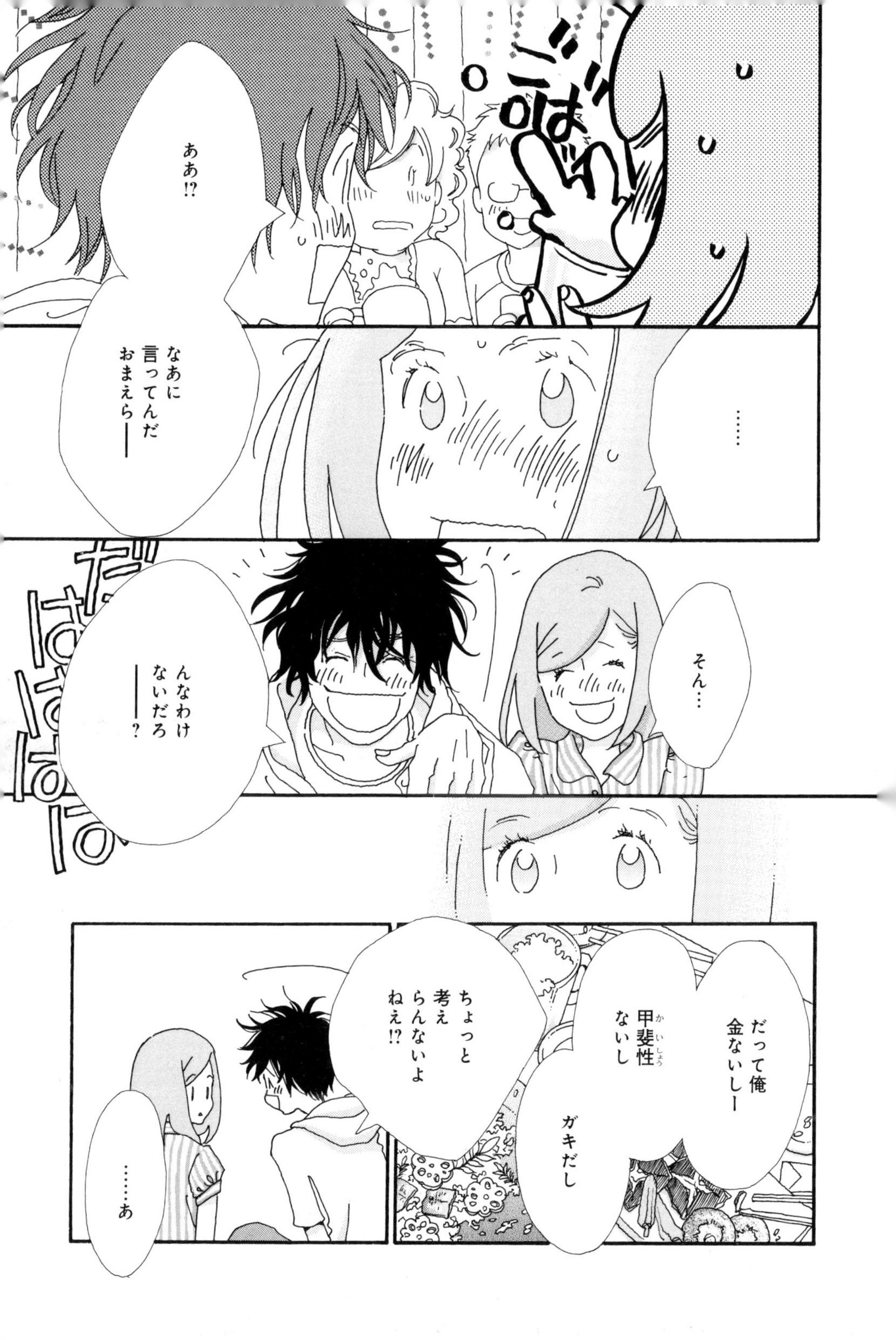
ああ!?
……
なあに言ってんだおまえら——
そん…
んなわけないだろ——?
だって俺金ないしー
甲斐性ないし
ガキだし
ちょっと考えらんないよねえ!?
……あ

そうよねぇ
あ――
のんだ
食った!
しあわせ
だ~~~~~!!
バカばっか
だけど
いい奴らだろ
――?
ヒナちゃん
今度の
打ち上げにも
行かない
ほんっとに
正直なんだから

えっ!?
えっ
ヒナちゃん!?
ヒナ!?
バチかなあ
バチよねえ
傷付けた
ぶん
今度は
私が
傷付くんだ
私
ちっとも
成長してない
身勝手で
よくばりの
ままだ

いつでも
してほしがり屋で
自分の気持ちばかりを
ふくらましては
勝手に傷付いて

どうして

どうしていつもこうなのかしら

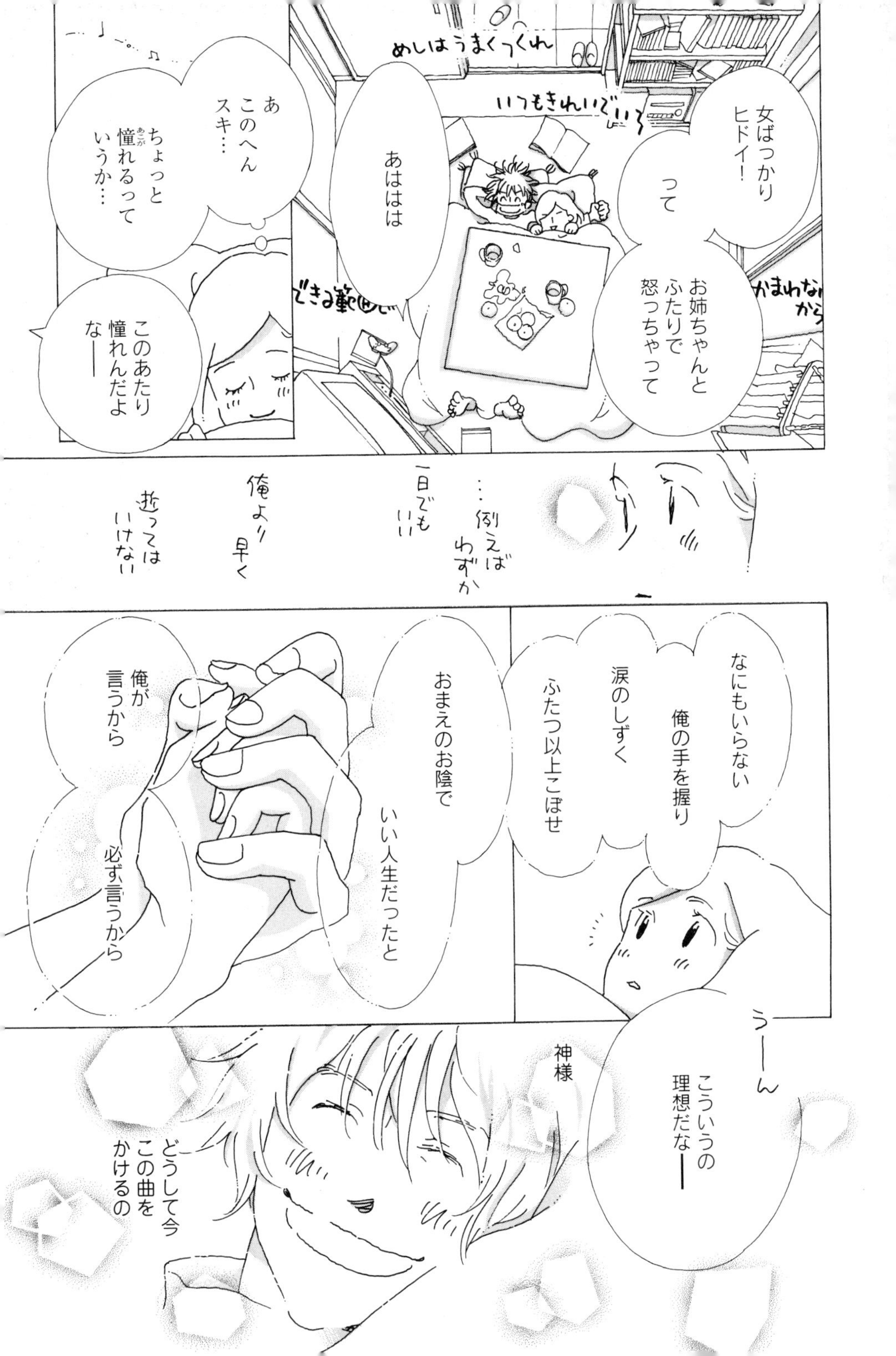
めしはうまくつくれ
いつもきれいでいろ
かまわないから
できる範囲で
女ばっかりヒドイ! って
お姉ちゃんとふたりで怒っちゃって
あははは
あ このへんスキ… ちょっと憧れるっていうか…
このあたり憧れんだよな——
…例えばわずか一日でもいい
俺より早く
逝ってはいけない
なにもいらない 俺の手を握り
涙のしずく ふたつ以上こぼせ
おまえのお陰で いい人生だったと
俺が言うから
必ず言うから
うーん
こういうの理想だな——
神様
どうして今この曲をかけるの

だめになるかも
しれない

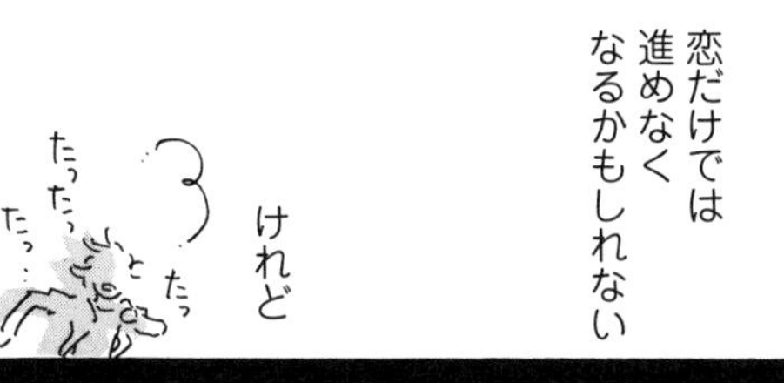

けれど今は

おひとり様物語

—— *story of herself* ——

Data
name : Minori Hiratsuka
age : 38
job : Pharmacist
— story of herself —

第15話

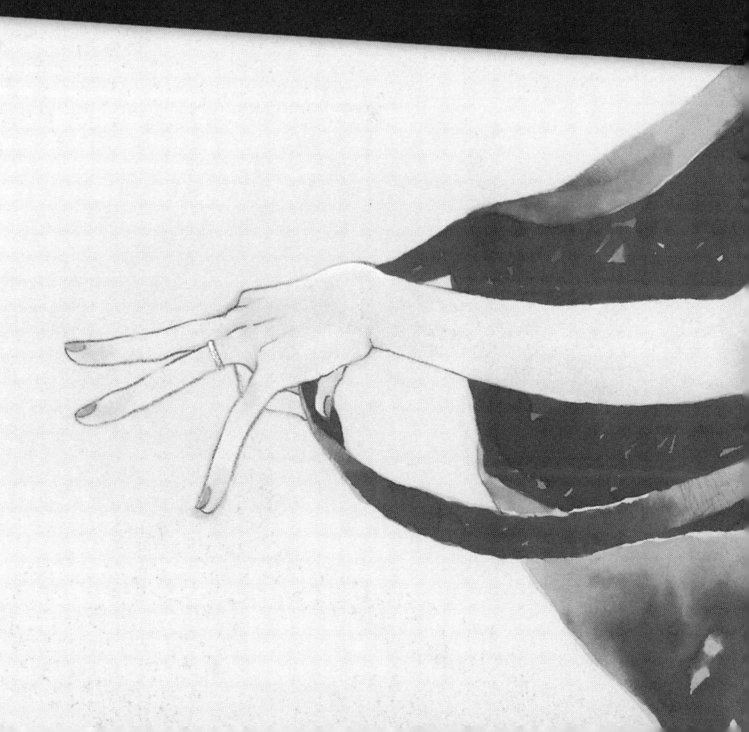

『恋は
遠い日の
花火ではない』
って
なんだったっけ

いってきまーす
今日は遅番だから
パパ　えみりを
よろしくね
あいよ
気をつけて
いって
らっしゃーい
平塚みのり
38歳
結婚11年目
漢方薬局の
薬剤師です
ひとつ
年下の夫と
小1の娘と
3人暮らし
こんな
平穏な日々が
ずっと続くと
思ってました
思ってたのに
海に
行きませんか
？
どうしよう……
バタン
おはよう
ござい
まーす
おはよ
ー
よかった
先生
ちょうど
お見えよ

こんにちは
…こんにちは
えーと
前回のお薬
どうでした？
眠りが浅めとの
ことでしたが
なにか変化は
おありでしたか？
う───ん
締め切り近くて
どうしても
徹夜気味に
なってきまして
眠くなった時は
ものすごく
眠いんで
時間バラバラ
ですが
深く眠ってます
そうですか
……
……
あ
くすりも
効いてるんだと
思います
ははははは
この人は
若手小説家の
小湊 航先生(29)
漢方はゆっくりした
体質改善を
目指す
先生がこの薬局に
通い始めて
3ヵ月だ

私の人生には
縁のないものだと
思ったばかりだったのに

あの
クリーニング屋の
奥さんが!?
相手はジムの
インストラクター
15下だと
ええええ〜〜〜!?
奥さんて確か
私と同じくらいの
はず……
ぁ
そういえば
なんか最近
若返ってた
気が……
…え〜〜
へ〜〜〜
ふ〜〜〜ん
恋の
プライベートレッスンも
受けたって
わけだナ!!
ワハハハ!!
パン
やめてそれ
おっさんくさい
なにが
くさいの
〜〜?
あ ごめん
うるさかったね
トイレ?
ひとりで
いける?
う——ん
奥さんまた
ヘンなの
借りて〜〜
もっとさあ
ドカーンとか
ズキューンとか
あちょーとか
自分で
借りて
……
そこぬけ
地中海
百万本の
ニラ
すごいなあ
あるんだ そんな
ドラマみたいな恋……

「恋は遠い日の花火ではない」ってことか……
ん
なんだっけ このフレーズ
なんかのCMだっけ
うーん…
……
私だったらどうだろ……
誰かにときめいて……そして
（想像中）→
無理。
遠い日の花火ッス
映画みてる方がたのしい…
…さん
平塚さん
え
あ ごご ごめんなさい
えっとじゃあ これで2週間分作りますね
と
舌を拝見
えあー
はい ありがとうございます
まあ つまりだ
私には縁のないお話ってことで
……あの

平塚さんて
ガスパチョ監督好きなんですか？
僕もです
ほんとですか!?
これもいいけど『そこぬけ地中海』のがもっと好きかな
あれだけナンセンスなのに泣けるのってすっごいですよね
御機嫌堂
友よ!!
御機嫌堂 漢方
こんにちは
こんにちは
それ以来

先生の問診の時は
随分おしゃべりをした
(忙しくなくて
他にお客様も
いない時ね)
映画の話
本の話
先生の作品の話
私の家庭の話
その他なんでも
ガードレールに
缶コーヒーでも
何時間だって
平気だった
どれだけ話しても
飽きなかった
一日何度でも
笑い転げた
やだ
夕飯
やべ
うちあわせ!!
楽しーーーい
平塚さん
配達お願い!
はいっ
あら
いい返事
ここんとこ
元気いいじゃなーい?
ハイ
3丁目の
モモイさんね
たたっ
え
そうです
かー?
がしょん☆
平塚さん!

無断駐車禁止
あら こんにちは！
あれっ 次は確か来週ですよ？
オールナイトです！
え？
今夜 ガスパチョ監督の特集 講談シネマで一挙上映!!
えええーー!!
すごいでしょ？
み みみみ 見たい!!
えみりも大きくなったし
パパに頼んで…
じゃあ 行きますか？
ハイ!!
一緒に？

えーーーと
それはさすがに
どうなのかしら
人妻として
オールナイトって
いうのは
ナイトをオール
するのであって
先生と私が
一晩一緒に
いるってことで……
いやいやいやいやいや
先生は
29歳独身
私は38の
子持ち既婚
黒木瞳でも
安田成美でも
ない
並か
並以下の
物件!!
意識するほうが
厚かましいって
もんでしょ!!
……
でもなー……
いーよ
ゆっくり
行っといでよ
えみりも
やるー
あっ じゃあ俺
ドラクエ
よっぴいて
やっていい!?
……

画は
白かった
も
終上映の
中で
くわからなく
った
少し
眠くなったのと
先生の
左腕が
肘掛けに乗せた
私の右手に
触れたから
先生が
動かなかった
から
私も
そのままでいた
エンドロールが
終わるまで
ずっと
チチチ
チュン
チュン
平塚さん
今度
海を見に
行きませんか

……
え？
……最後の映画で
海辺を歩くシーンがあったでしょう
僕も
そうしてみたいって思ったんです
平塚さんと
そうやって歩いてみたいって思ったんです

ママ パパー
はやく はやくー!
3名様ですね
はいっ
こら えみり じっとして!
入場券売場
もー はしゃぎすぎ えみり
嬉しいんだろ
3人で遠出なんて ひさしぶりでさ
ほんとに 約束は 良かったの?
うん
いいの
3人で でかけたくなったの
待ち合わせ場所には 行かなかったんです

行こうかどうか
迷ってるくせに

いつもより
ほんの少し丁寧に
お化粧して

お気に入りの
服を着て

香水も
少しだけつけて

でも
行かなかったんです

出かけて
しまったら

同じ顔では
もう二度と
戻れないと
わかっていたから

たとえ
なにも

起こらなくても

はぐれないように
つないでて
あげるね！
ありがと
私はもう
おひとり様に
戻らない
このぬくみも
自分で
ひとつずつ
選んできた
ものだから
それでも
ごめんね
？
やっぱり
うれしかったの
？
なにがあ
？
ときめいて
しまったの
たぶん
すこし
恋をしてたの

Data
name : Orika Momoi
age : 30
job : Manga Artist
— story of herself —
第16話

どうも
ごぶさたしてます
桃井織歌(ももいおりか)
漫画家です

おひとり様のまま
先月30歳になりました

相変わらずの
暮らしぶりで
おはずかしいです

いやー
なんたってもうすぐ
〆切り(しめき)なもんでネ
散らかっちゃうのもま
しかたないんですけどネ

ほら物事には
優先順位ってものが
あるじゃないですか

あ そうです
例によってこれは
仕事中なんです

転がってるようで
のうみそはフル回転ですよ

もーねーこの時期って
仕事以外のことは
ほんとどーでもいい

読者さまにお届けするのは
キレイな部屋じゃなくて
ステキな
まんがな
訳ですし

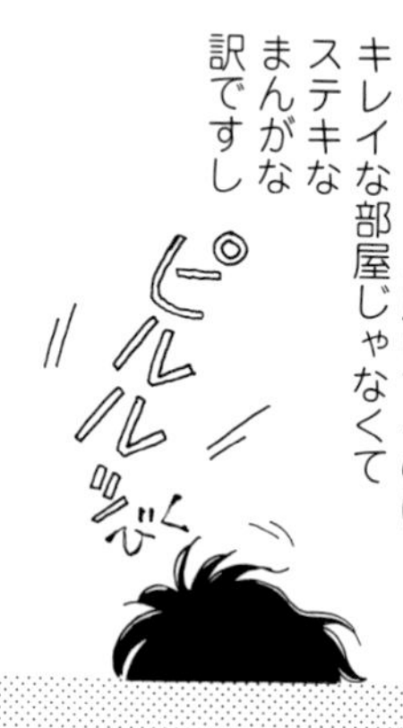

ピルルルルッ
ピルルルッ
ピルルルルッ
ピルルルッ
ピルルルッ
ピルルルッ
……
あ
こんにち
は…
あの……
すみません
まだ…
ね
そですよね
あと４日…
は はい
頑張ります
じゃあまた夜に
はい～～
ふー
あと
４日で
24枚…
今 ネーム
２枚…
よ よし
なにしろ机に
向かうか!!
形も
大事だから
ネ!!
……
ざざざざ

あーーーーっっ!!
ああもう
こんな部屋で
考えごとが
できるかっ
つーーーの!!
環境はその人を
うつす鏡!!
散らかった部屋
それはすなわち
散らかった心!!
よし
まずはやっぱり
掃除だ
な!!
きれいな部屋にこそ
ネーム神(しん)は
きっとお出(い)でよ!!
バタバタ
だすん
だすん
そんな部屋でこそ
読者さまの喜ぶ
すがすがしい
ストーリーが!!
……
……
このあと
マヤ
どうしたん
だっけ…!?
プルルルル
プルルルル